PERROS Y ANTIPERROS

UNA EPICA CHICANA

por

Sergio Elizondo, Ph.D.

ENGLISH TRANSLATION

Gustavo Segade, Ph.D.

A QUINTO SOL PUBLICATION
1972

QUINTO SOL PUBLICATIONS INC.
P.O. BOX 9275
BERKELEY, CALIFORNIA 94709

ANTIPERROS

"Tierra perdida, llama de amor;
Tierra de basura, estoy lleno de amor"

Mis hermanos los jóvenes, llenos de vida,
se levantaron de su fingida derrota,
para cantar conmigo de gusto y de dolor.
Todos como uno, me dijeron
un cuento sin libro,
que se está escribiendo
al otro lado de la vía del tren
donde los otros viven
en clínicas de esmalte blanco,
que cubren,
el acero de sus perdidas almas.
Me dijeron tanto, que es desmedida
la cantidad de pudredumbre
que han aquellos amasado
en cerros de lodo,
con papeles verdes,
y el asco de su obeso sudor.

Dicen que de aquí
a la luna han ido
a plantar la insolencia
de aseptico pié, en arenas de plata,
y falso trapo tieso como la muerte.
Con estas palabras
puras y buenas como los días
en honrada pobreza,
han sabido mis manitos medir
lo que en otra forma piensan.

ANTIPERROS

"Land lost, flame of love
Land destroyed; I am full of love"

My young brothers, full of life,
from pretend defeat arose,
to sing with me of pleasure and of pain.
All as one, they told to me
a tale without a book,
written now
across the tracks
where they the others live
in white enamel clinics,
that cover
the steel of their lost souls.
So much they told me, . . . too much
the quantity of filth
the others have amassed
hills of muck,
with green papers,
and the retch of fat sweat.

They say that from here
to the moon they have gone
to plant insolence
of aseptic foot on silver sands,
and a fake rag stiff as death.

With these words
pure and good as days
in truthful poverty
my young brothers measure
what in other ways they know.

PERROS

Llegaron a nuestros ranchos,
muertos de hambre,
implorando amistad cuando los seguía
el polvo de la muerte.
Sombreros de fieltro,
espuelas que no pican,
carretas de Pennsylvania
y biblias en las nalgas.
Se creían buenas gentes
sólo porque trabajaban, y se sonaban el pecho
sacándose culpas.
Pero en sus ojos no había espejos,
ni suave sudor en las manos.

Mis abuelos barbas de olor a tortilla,
piel de sol en la tierra,
y lengua que mece las ramas;
cama, comida y costumbres
a los hambrientos colmaron.
Como cuento viejo, los pequeños crecieron
y sus familias se hicieron
falsamente redondas. Y no salían por las puertas,
y se quedaron dentro
de la casa de tierra y palo.
Reventaron las perras
regando animales que otra lengua hablaban.

Güiri-güiri de misterios,
mierda de librerías en la corte,
afrenta a los ojos negros,
agua salada en la milpa.
Se perdieron las tierras
en falsos cielos azules
y el mendigo que llegó a cenar
engañó las puertas y se quedó en casa.

Mi viejo cuentero,
dientes duros y alma fuerte
se retiró a los adobes
del Barrio de Salsipuedes.
Dicen que por los tiempos
Chingueasumadre no había,
porque más fuertes los rinches,
con pistolones azules

PERROS

They reached our ranchos,
dying of hunger,
begging friendship, pursued by
the dust of death.
Hats of felt,
prickless spurs,
wagons from Pennsylvania
and bibles on their ass.
They believed themselves good people
only because they worked,
and they beat their breasts
discharging their guilt.
But in their eyes there were no mirrors,
and no soft sweat upon their hands.

My grandparents beards tortilla smell,
skin of sun on earth,
and tongue that rocks the branches,
beds, food and customs
upon the hungry ones bestowed.
Like the old tale, the little ones grew
and their families became falsely round.
And they came not out the door,
and they stayed within
the house of earth and sticks.
The bitches burst
scattering animals that spoke another tongue.

Yackety-yack of mysteries,
shitpile of books in court,
affronts to dark eyes,
salt water in the milpa.
The lands were lost
to false blue eyes
and the beggar who came to dinner
cheated the doors and stayed in my home.

My old man teller of tales,
hard teeth and strong soul
fell back to the adobes
of the barrio Salsipuedes.
They say that in those days
Chingueasumadre there was none,
because, stronger the Rangers,
with big blue guns

medían en cuadros de a milla
lo que los Reyes de España con los ojos.
Yo no digo lo que sé sino lo que me dijeron
y como buen Chicano, cuento.
No tengo letras en el coco
ni cronistas en la casa,
sólo rabia en tripas
y fuerte sudor en los cuates.
Chavalo: más fuerte es el amor
que me mueve dentro,
que un siglo de motores.

En otros montones de años
hicieron casas los cabrones;
desdeñaron las llanuras
donde el viento fuerte barre mentiras;
creyendo que con líneas rectas
se arreglan las curvas del corazón.

Tú y yo, Ese,
risa secreta cantamos.

Déjenlos que se confundan
en casas blancas de papel,
laberintos amarillos de codicia.

Crecieron sauces en mi rancho
y *grass* verde en las ciudades.

Mineros de tierra y pico
con palas hacían soles a la vuelta novecientos;
gritos de amor como faroles.
Falsos cañones escupen
gringos que apuntan de lejos;
no alcanzan a ver los soles.

Mi casa creció en tribu,
suaves palabras de noche
donde cigarros relumbran
en la oscuridad que este mundo no nos roben.
Calladitos de alegría, uno por uno hemos quedado

measured in milesquares
what Kings of Spain once measured
with their eyes.
I'm not telling what I know,
but what they told me
and, as a Chicano, I retell.
I have no letters in my head
nor chroniclers at home,
only anger in my gut
and strong sweat on my balls.

Man: stronger is the love
that moves within me
than a century of engines.

In other piles of years
the bastards made houses;
scorned the plains
where strong wind sweeps away lies;
believing that with straight lines
are ruled
the curves of the heart.

You and I, hey,
sing a secret smile.

Leave them to be confounded
in white paper houses,
yellow labyrinths of greed.

There grew willows on my rancho
and green lawns in the cities.

Miners of dirt and pick
made suns with shovels 'round 1900;
cries of love like lanterns.
False cannon spit out . . .
gringos who aim from afar;
they never get to see the suns.

My house grew as a tribe:
soft words at night
cigarette ember glow
in the darkness
lest they steal from us
this world.
Quiet with joy,
one by one
we're left

en las afueras del pueblo
y poco a poco en cobijones,
de aliento y chile, mujeres y hombres.

¡Ay, que mi casa siempre es nueva!
¡Ay que la polka me lleva!
en una pata bailo solo
cuando se me sube a los faroles
un amigo fuerte y agua
que me acosquilla los tostones.

¡Ay polvo de baile en rancho!
¡Ay mis naranjas sexuales!
¡Ay las prietitas de Tejas
van a piscar algodones!

ESPAÑA

Cante, cante, caballero,
España y cuerdas en los sones.
Plata y bronce por el aire,
más claro que todos los soles.

Lleva mi voz de caballo
gotitas tiernas de mayo.

Los treintas me quitaron lo poco que tenía
pero en alma y corazón, en eso me los jodía.
Antes no tenía yo chingue,
aquí a medias te guacho, Bato,
garabato,
caresapo,
culoalto,
Chilesín,
Putín
hijo de Rintintín.

TRECE ESTRELLAS

Después en invierno celebran
extraño rito de melancolía
y una vez más se los lleva el tren
pero no lo ven;
ritos hechos de hombre
un día duran nomás

on the edges of the town
and little by little
in blankets of breath and chile,
women and men.

Ay, my house is always new!
Ay, the polka turns me on!
on one leg I dance alone
my eyes are made to shine
by a strong and liquid friend
tickling on my balls.

Ay, dust of dancing in the rancho!
Ay, my sexual oranges!
Ay, the dark young girls of Texas
      going to pick cotton!

ESPAÑA

Sing me, sing me, good sir knight
Spain, deep chords in ancient songs.
Bronze and silver all in flight,
Crystal clearer than all the suns.

      My stallion voice bears within
tender drops of May.

In the thirties they took from me
      the little that I had
but in my heart and soul,
      there I stuck it back.
Never before could I fuck you then;
now, midway through the century,
      I'm here to check you out, Bato,
            garabato,
            caresapo,
            culoalto,
            Chilesín
            Putín
            hijo de Rintintín.

THIRTEEN STARS

Later, in winter, they celebrate
a melancholy rite so strange
once again they lose the real . . .
never do they see it;

man-made rituals
last one day
no more

y en febrero una vez más
fingen que el amor se hace
de corazones de papel
En mayo su Señora Madre tiene trono de pastel
y desperdician
la marihuana del mes:
sin amor.

EPITALAMIO

Junio de mis amores,
casado te veo,
libro,
de blanco y costoso,
especie de mueca sinfónica de glorioso verano;
Señor: métaselo.

GRITO

Bastardo legítimo, trino,
como pájaro Quetzalcóatl de mil colores,
y como liebre a toda máquina por el camino.
Mis padres no se casaron,
sólo se amaron.

and in February once again
pretend love is made
of paper hearts

In May dear Mom
on a throne of cake

. . . and they waste
the marijuana of the month
without love.

EPITHALAMIUM

June of my heart,
married I see you,
a book,
all white and expensive,
a sort of symphonic grimace
of a glorious summer
Lord: stick it to 'em

GRITO

Legitimate bastard,
I trill
Thousand colored Quetzalcóatl bird
A jackrabbit tearing down the road.
My parents
never made marriage,
all they ever made
was
love.

MI CUENTO

Paso ahora,
al agosto de grandes guerras,
que retiemblan mi pecho
y bailan mi corazón.
En un establo de Francia,
chante de piedra
y vino de botellas pardas,
celebré mi libertad.
Parche de hombros otro cuento,
fusiles,
pan.

Canto mi épica Chicana,
¡Chingueasumadre el mundo
y viva la llamada democracia americana!
En cien escaramuzas me metí donde mis primos no podían,
contra otros pobres que nada me debían.
Fiel, nuevo lustre en mi bronce,
me aventé en inglés.
Refinaba en gringo,
mucho *down,* mucho *up*
plenty of money,
I rode cars;
La banda de Miller me llevó,
en trombones, saxofones,
hasta los brazos de la primera
y dije: "Aquí chingo."

Desfilaban a toda madre por New York.
Yo y mi cuerpo, solos.

Esperando sepultura.
Me la negaron en Tejas.
El Aguila de las aceitunas y flechas
me enterró en sagrado.
Y yo y mi espíritu viejo
en la tierra de mis padres.

MY TALE

I move now
to Augusts of Great Wars
that tremble my breast
and dance my heart.
In a French stable
   a stone shack
      wine from dark bottles
I celebrated my freedom.
Shoulder patches their thing,
rifles,
bread.

I sing my Chicano epic,
Chingueasumadre the world
and long live the
      so-called American democracy!
A hundred skirmishes I leaped in
      where the "cousins" couldn't,
against other wretched men
      who owed me nothing.
In faith,
new lustre upon my bronze,
I prattled in English.
I chowed down in gringo,
Lots of down, lots of up
plenty of money,
I rode cars;
The Miller band took me,
in trombones and saxophones
to the arms of the first
and I said: "Aquí chingo."
They paraded all to hell
      in New York.
I and my body, alone.

Awaiting burial.
They denied me that in Three Rivers Texas.
The olive and arrow Eagle
buried me sacred.
But I and my ancient spirit
roam the land of my fathers.

Mano, presta la lira,
tú con el bajo sexto.
No tengo himno de gloria
a ver que sacamos de esto.
Yo.
Soldado me fui, hombre vine.
Moreno por las alas de la pasión de mis padres,
prieto por el sol de los trabajos,
blanco por los ojos de la Virgen,
picante como el chile colorado.
Ella.

Se mece en las curvas de sus pasos.
Canta cuando habla.
En su morena piel
el sol fundió la miel,
y en sus ojos,
el calor de las abejas
que pausan bajo rosales.

Amigo: tengo todo.
De aquí pa'lante,
las uvas que me esperan en los campos
amigas de mi armonía,
con tiernos dedos acaricio hermanas.
Adán y Eva, dos en uno, en todos estos años
que llaman historia,
soy israelí de mis viñedos.
Guardo un cuchillo
p'al panzón con gafas
que mi espalda guacha,
mientras que yo callado,
trabajo,
y de reojo miro a mi muchacha.

Brother, hand me the lira,
you with the twelve-string.
I have no hymn of glory . . .
let's see what we make of this.
I.
A soldier I went,
A man I returned.

> *Dark through my parents'*
>   *wings of passion,*
> *darker through the sun*
>   *of my labors,*
> *white through the eyes*
>   *of the Virgin,*
> *hot like the red chile.*

She.
Rocks in the curves of her walking
Sings when she speaks.
In her brown skin
the sun burned the honey,
and
In her eyes,
the warmth of bees
that hover in the roses.

Friend: I have everything.
From now on,
the grapes that await me
*   in the fields*
friends of my harmony,
with tender hands
I caress as sisters.
Adam and Eve
two in one
in all these years
*   they call history,*
I am an Israeli
*   of my vineyards.*
I have a knife
for the sunglassed fatman
who guards my back
while silently
I work,
and peek ever slyly
at my girl.

Uvas de amor siento que me dejas;
prefiero hoy mi ser valioso
y jamás tener quejas.
Adiós, adiós, patrón
tengo un asunto,
Chicana el alma,
gringos los bolsillos,
carro al lado,
águila cuando brinco.
Ora sí, ¡Chingueasumadre! amigo.
En las paredes de mi barrio escribo,
a grandes letras,
que miren mis ojazos,
vivo, gozo, chingo,
quiero,
tomo,
y en las esquinas
de Juana un frajo.
No me alcanzan,
vuelo;
y por si acaso,
la placa con otras pistolas,
allá la dejo
y yo le digo que ya sabe,
mientras que me pinto con safos.

Grapes of love
*   I feel you leave me;*
today I prefer
*   my valiant self*
and will no more complain.
Goodbye, goodbye, boss fatman,
I got things to do,
Chicana my soul,
gringos in my pockets,
a car at my side,
like the eagle when I pounce.
Now! Chingueasumadre, friend!
On the walls of my barrio,
in big letters,
I write
so my big eyes can delight:
I live, I enjoy, I fuck,
I love,
I take,
and on the corners,
a 'Juana joint.
They cannot reach me,
I fly
and even if it is
the badges with new guns,
I leave them behind
and tell them
you-know-what,
while I paint myself CON SAFOS.

PASTOURELLE

Teníamos una casa
en San Antonio de Béxar.
Piedra labrada, manos de fuertes fibras,
por muchos tiempos mestizo
de nuestra raza bajo la cruz y la espada
con devoción y humildad
levantó para siglos.
Frescas esquinas dentro.
Incienso y arrullos de voces
de niñas de blanco, y mexicana
la falda negra de beatas
por corredores devotos
los curitas pastoreaban.
Viñas de añejo árbol
para nosotros crecido,
fuertes y hombrunas
protegían cabelleras negras.
Paredes madres, grises, de piedra,
acariciadas por mezcla
se abrazan siempre.
Eterno gozo divino
bajo los ojos de Lupe.
En los patios bugambilia
celebra con sol y viento
la vigilia de mezquites,
en los llanos los nopales
son coyotes que de noche
dan palmadas con las pencas
como no pueden con voces.
Paz y Dios dentro y fuera.
En los pisos de capilla
relumbra claridad de cera.
Quémame las velas
que de Cristo corazones
viven y mueren solitas,
nunca quietas como las felices
de los álamos hojitas.

Arcos son de mi pecho
las redondas entradas
abiertas sin tiempo a todos,
cantos de gallo mañana
y por la noche celebra la rana.

PASTOURELLE

We once had a home
in San Antonio de Béxar.
Cut stone, hands of strong fiber,
many times mestizo
of our raza under the cross and sword
with devotion and humilitý
raised for the centuries.
Cool corners within.
Incense and murmur of voices
of girls in white, and Mexican
the black skirts of holywomen
through the halls devoutly
the shepherd friars their
flocks did keep.
Vineyards of ancient trees
grown for us,
strong and manly,
black waves of hair protected.
Heavy walls, grey, of stone,
caressed by the plaster,
embracing forever.
Eternal joy divine
under the eyes of Lupe.
In the patios bougainvillea
celebrate with sun and wind
the vigil of mesquites,
in the plains the prickly pear
are coyotes that at night
slap with cactus hands
voiceless, silently.
Peace and God inside and out.
On the chapel floor
the light of wax reflects.
Burn for me the candles
who, hearts of Christ,
live and die alone,
never still like little
leaves of riverside alamos.

Arches of my breast
the round entrances
open timelessly to all,
crowing of the morning cocks,
throughout the night
the frogs celebrate.

Por distancias que desconozco,
hablan cuernos de sillas
de caballo;
alguien rasca toscos papeles
con plumas de pájaro grande,
cartas y viajes de viejos
que publican ambiciones.
Por el sur, orgullo de criollo,
Santa Anna Fantochea
y por el norte ojos borrados,
los otros pechos de pollo,
desbordaban codicia
donde aparente honradez malicia esconde.
Buscan el agua de tu pureza,
Alamo de mis canciones,
no esperas en tu angélica piedra
el azufre arrogante
de pistolas Colt
que quieren pasar adelante
del Río Grande.
Calle abajo.
Río Bravo,
vienen los que ganan centavo.

En las horas redondas de cigarras,
punza el sol con güeros hilos.

Silencio.

Retumba en mi corazón
cuerda de gato violón.

¡Ah engañados!

Vienen los mexicanos siguiendo
a Santa Anna
a echar de aquí
a los que quieren más esclavos.
Un carrizal de fusiles
son patas de caballo;
piden agua de adentrito.

En placas blancas de mármol
nombres de Chicanos
desmienten que sólo había anglos.

At distances I know not of,
speaking, creaking horns of
saddles;
someone scratches coarse papers
with feathers of big winged birds,
letters and voyages of old men
who publish their ambitions.
To the south, pride of criollo,
Santa Anna, shows off,
and to the north, faded eyes,
the others, chickenhearts,
overflowing greed
wherein apparent honesty
covers over malice.
They seek the water of your purity,
of my songs my Alamo;
you do not expect upon your angel stone
the arrogant sulphur
of Colt pistols
that will to go beyond
the Río Grande.
Toward the south,
Río Bravo,
are coming those who earn Mexican pennies.

In the round cicada hours
the sun threads with strings of light.

Silence.

In my heart resounds
the catstring of the bass.

Ah! Deceived!

The Mexicans come following
Santa Anna
to throw from here
those who'd have more slaves.
A canebrake of rifles
the legs of the horses;
they ask for water from within.

On white slabs of marble
names of Chicanos
belie that only anglos fought.
They lie

Mienten, mienten escritores de historias tejanas,
no hay lugar donde no se vean huellas mexicanas.
¡Ay San Jacinto de los llanos
devuélveme a mis hermanos!
¡Ay chaparral del desierto!
¿de quién es hoy mi huerto?
Descansen ustedes,
yo vivo.

CHICANOS

Yo, señor, pues soy Chicano,
porque así me puse yo.
Nadie me ha dado ese nombre,
yo lo oí y lo tengo,
es que ya no soy niño: soy hombre.
Méxicoamericano porque hablando nací,
lengua de la Raza.
Americano por estas otras costumbres
de esta gente.
Tengo dos palabras, español e inglés,
a veces bien, a veces mal,
pero dos, ay se va, pues.
Latinoamericano era hace treinta años,
cuando me daba vergüenza mi cara
negando ser lo que era,
pero ya ve, viejo,
uno cambia, pasa el tiempo, piensa.
Americano de ascendencia española,
¿qué es eso, mano?
Qué largo y vacío suena
pero me cubre la cara.

They lie the writers of Texan history
There is no place one cannot see
traces of the Mexican.
Ay! San Jacinto of the plains;
give me back my brothers!
Ay! Chaparral of desert place,
whose is today my orchard?
Rest you in peace.
I must go on living.

CHICANOS

I, señor, well I'm Chicano,
because that's the word I named me.
None has given me that name,
I heard it, and I have it.
A child no more: I am a man.
Méxicoamericano porque hablando nací,
lengua de la Raza.
American from these other ways
of these other people.
I have two words, Spanish and English,
good at times
at times not,
but two, for better or for worse.
Latinoamericano I was
thirty years ago
when, ashamed of my face,
I denied being what I was,
but, you see, old man,
one changes,
time passes,
one thinks.
American of Spanish Descent,
what is that, my brother?
How long, how empty it does sound,
and it covers up my face.

BUENOS HIJOS DE LA MALINCHE

En templos de libros, altares que se ponen por las paredes,
en platiquitas que acá entre nosotros nos decimos;
en cantinas de olor a pulque
y en las labores verdes;
por todas partes secreto callamos,
como a una voz tenemos entre hermanos
que somos así.
Tú dime como:
que por ser grandes cabrones
y los únicos que chingamos madre
ni ayer, ni hoy,
como lo fue en Egipto
no tenemos tradición de Edipo
judíos, negros, indios y chicanos
como ya dije, mano,
por nuestras madres somos hermanos;
allá otros que buscan consuelo
en esposas violadas por ellos mismos
no pueden, ni las suyas quieren;
pero tú y yo, mano
vivimos la ley de chile pelado.

MI CASA

Más al norte, Napa,
  ¡Ay Amá!
¡Niebla y montañas verdes!
¡Ay San Francisco y Oakland!
Salúdenme al mar salado,
  ¡Qué azul! ¡Qué grande!
¡Qué viento tan enojado!

En Arizona mi alma despierta en Tucsón,
y las pitahayas
pican la rosa de la mañana.
Sólo yo y mi familia somos puros;
los demás, los adobes,
son de tela de alambre
y mierda de tierra
que avientan por las paredes y muros.

GOOD CHILDREN OF LA MALINCHE

In temples of books,
altars placed along the walls,
in chats we have among ourselves;
in cantinas pulque smell
and in the green labors;
everywhere we hush a secret,
as one voice we hold among the brothers
that we are that way.
You, tell me how it is:
that being great sonsabitches
and the only ones who chingamos madre
not yesterday, not today,
as it was in Egypt,
we have no Oedipus tradition.
Jews, Blacks, Indians, and Chicanos
as I said, my brother,
through our mothers are we brothers;
over there
others who seek solace
in wives they violate themselves
cannot, do not, love their own;
but you and I, brother,
live the law of the naked chile.

MY HOME

Further north, Napa,
Ay, momma!
Fog and green mountains!
Ay, San Francisco and Oakland!
Greet for me the salt sea,
How blue! How big!
How angry the wind!

In Arizona my soul awakes in Tucson,
and the pitahayas
prick the rose of the morning.
Only I and my family are pure;
the others . . .
their adobes
are of wire mesh
and the diarrhea of the earth
they throw against the walls and fences.

Tengo aquí un detallito,
dos guitarras, ¿pa' qué más?
¿sino trío con bajo sexto chiquito?
Bailo entre espinas, las
piedras son mi asiento,
picos de montañas esquinas
y nubes de la casa es techo.
En los suburbios de Fénix
riego las calles con lo que me sobra
de cerveza que tomé anoche,
y por los campos de naranjas
en la tierra sin lago,
trabajo,
y cada domingo
pa' que se acuerden de lo que me quitaron
en el Gran Cañón del Colorado me cago.

Mira hermano: Tierra Amarilla es fuerte.
Acá, en Albuquerque leonado
en casa alta vivo y rujo
como tigre enjaulado.

No me suelten, compañeros,
agárrenme de las mechas
porque si me dejo ir
en unos cuantos días me hago dueño
del río, el cerro, monte, caminos y brechas.

Here I have a little fact,
two guitars, who needs more?
More than trio with bass guitar?
I dance among the thorns, the
stones are my seat,
peaks of mountains corners
and clouds that roof my home.
In the suburbs of Phoenix
I sprinkle the streets
with what's left of
last night's beer,
and in the orange groves
in the land without a lake,
I work,
and each Sunday
just so they remember
what they took from me,
in the Grand Canyon of the Colorado,
I shit.

Look, my brother: Tierra Amarilla's strong.
Over here, in tawny Albuquerque
in a house so high,
I live and growl
like the caged tiger.

Hang on to me, compañeros,
grab me by the hair
for,
if I let go
in a few days I'll rip off
the river
the hills
the mountains
the roads and the valleys.

PADRES, HIJOS; AYER, HOY

Dame, papá, la mano.
He tenido frío hace cien años.
Mis tierras corrían
desde aquel palo verde
que en San Diego silvestre se crió,
iban hasta aquel lugar
donde las olas enojadas
las rocas y los pinos castigan, allá.
Aguas por el desierto salado bajaban
revueltas por el Colorado.
Mire jefe: también por donde culebreaba
el Río Bravo hasta las playas
del Golfo de México.
Dígame mi Chief
si no era rico.
Pero, ¡Ay!
¿En qué quedamos ahora?
¿Dónde está la mano
de la niña morena
que el gran rey de España
con agua bendita me dio?

Eche, Apá, échele
chingazo al surco,
tengo una cita
con un amigo sincero
que por las aguas claritas espero.
No tiene nombre todavía jefe,
me espera pa' que hablemos juntos
del fuego que quema pa' curar
mis tripitas.
Tengo una bandera Apá,
colorada sin rayitas,
ni estrellas, ni tiritas
de oro robado, por acá.
Tiene una águila negra,
alas iguales
hecha de puro algodón.

FATHERS, CHILDREN; YESTERDAY, TODAY

Give me your hand, papá.
I have been cold a hundred years.
My lands once ran
from that Palo Verde
that in wooded San Diego grew,
all the way to that place
where the angry waves
punish stones and pines, beyond.
Waters came down the salty desert,
churned by the Colorado.
Look, jefe: even through the place
where the Río Bravo snaked
to reach the beaches of the Mexican Gulf.
Tell me, my Chief,
if it was not rich.
But, Ay!
Where are we now?
Where is the hand
of the brown skinned girl
that the great King of Spain
with holy water
did give to me?

Hit it, Pop, hit
that ditch,
I have a date
with an honest friend
that by these clear waters
I await.
As yet, jefe, he has no name,
he's waiting for me
so we can talk together
of the fire that burns to cure
my poor insides.
I have a flag, Apá,
red without a stripe,
no stars, no borders
of stolen gold, right here.
It has a black eagle,
its wings are even,
made all of cotton.

Apá, en el calor de la tierra,
usté se purificó
con azadones chiquitos,
canastas, cajas, costalitos
y la bendición del sol.
Yo, perdone,
más prieto que usté me siento,
Bandera Aguila Negra y aliento
que por dentro traigo, yo.
Usté Apá, muy sombrerito,
manga larga,
y "Diga su mercé, patroncito."
Ta' bien, Apá.
Yo no digo que eso no.
El tiempo ha cambiado.
Ayer, el sombrero Stetson tejano
no le quitaba del lomo la mano.
Ayer, en el traque se aventaba,
hoy, su chequecito en el porche;
ta' bien, Apá.
El tiempo ha cambiado.
Déme usté la mano, Apá,
ya no hace frío,
me siento
como cuando me echo una
entre espalda y pecho, no miento.
Ora tengo
estos brazos que en la guerra me han templado,
en las cárceles me han agarrado
con cabrones como yo.
Tengo estos ojos, Apá,
que ora sí ven derecho,
no se bajan ni a chingazos
cuando el otro brinca en parejo.
Mire, Apá, ya ve, ya no soy pendejo.
Palabras fuertes, Apá.
Lo siento, hágase a un lado,
ahora si quiero, con valor
hablo claro, hablo, hablo, hablo y hablo,

Apá, in the heat of the earth,
you purified yourself
with little digging tools,
baskets, boxes, sacks,
and the benediction of the sun.
I, forgive me,
feel darker than you,
Black Eagle Flag and the spirit
that I bear within me, I.
You, Apá, all hatted up,
long sleeves,
"At your service, boss, sir."
All right, Apá.
I'm not saying no to that.
Times have changed.
Yesterday, the Stetson Texan hat
kept his hand right on your back.
Yesterday, you worked so hard
at laying track;
today, your little check
and on the front porch;
all right, Apá.
The times have changed.
Give me your hand, Apá,
it is no longer cold,
I feel
like when I drink one down
between my back and breast,
no lie.
Now I have these arms
they've tempered in the war,
in the jails they've grabbed me
with other bastards just like me.
I have these eyes, Apá,
that now see very straight.
They're never lowered,
not even by blows
when the other guy jumps at me.
Look, Apá, see now,
I am a fool no longer.
Strong words, Apá.
I'm sorry, please step aside.
Now, if I please, with valor
I speak clearly, speak
and speak and speak and speak . . .

si no me hacen caso
entonces hasta fusil y fuego como soldado.
Apá, no quiero prender la lumbre;
deveras no sé
hasta donde mi coraje alcanza.
Las calles son mías,
aquí en el sur de Califas
por las mañanas frías,
por el día de verano
y, ¡ay! noches de canciones Chicanas
que despiertan mis melancolías.

NOTA MEXICANA

Den niñas de su amor.
Faldas onduladas de algodón
cuando caminan,
pasos de cuidado, gentiles,
en la plaza del pueblo sin kiosko.
Ese día vienen con madres,
ese día vienen con novios
desde las torres gemelas de sus ojos.
Desfile de Dieciséis de Septiembre.
Den niñas de su amor
a tierna edad madura,
rito de mexicanas caricias
que en lo bello se conoce.
Hoy es día de La Raza,
pasan charros galanes
en caballos alazanes,
pantalones ajustados, piernas delgadas,
por debajo cortados;
sombreros grandes
garbo en las figuras que hacen,
caballo y hombre son uno,
que aquellos mayas y aztecas
creían que eran monstruos
y hoy hechizan ojos.

If they don't pay attention,
then even the rifle and the fire
like the soldier.
Apá, I don't want to start the fire
for I really do not know
to what point my anger reaches.
The streets are mine
here in the south of Califas
in the cold mornings,
in the summer day
and, Ay! nights of Chicana songs
that awaken my sad thoughts.

NOTA MEXICANA

Give, girls, of your love.
Undulating skirts of cotton
when you walk,
careful, graceful steps,
in the plaza in the town
with no pavilion.
That day they come
with their mothers,
That day they come
with their lovers
down from the twin towers
of their eyes.
Parade of Sixteenth of September.
Give, girls, of your love
at tender age mature,
rite of Mexican caresses
through its beauty known.
Today is the day of La Raza,
gallant charros going by
on sorrel horses,
fitted pants, slim legs,
slit along the bottom;
big sombreros
grace in the figure they cut,
horse and man are one,
and what Mayas and Aztecs
thought were monsters
bewitch the eyes today.

Da jovencita, mano suave,
de cabello negro largo,
como con los ojos dice
en voz baja
cada quieta palabra una alhaja.
En casa tienes,
con tu mamá
comal y metate
de secretos femeninos.
Con las trenzas de tus cuentos,
peinado diario,
pasan canciones
entre las dos
como de la Virgen cuentas de Rosario.
"Papá, un joven guerrillero
del movimiento de este Norte,
amores me pide,
manos de naranjas azahares;
por mis venas redondas van
llenitas y tibias
hasta hoy de mamá y mías
quietecitas corrientes de síes;
tú lo conoces,
es moreno, piernas chuecas,
trabaja, pisa la tierra,
es de aquí, de Aztlán."

Give, young woman, soft hand,
long dark hair,
eyes that speak
in low voice
each quiet word a jewel.
At home you have,
with your mother,
comal and metate
of feminine secrets.
With braids of stories,
combed daily,
there pass songs
between you two
like beads in the Virgin's rosary.
"Papá, a young warrior
of this movement of the North,
is asking for my love,
hands of orange blossoms;
through my rounded veins
there go
full and warm,
till today only momma's and mine,
quiet currents of yeses;
you know him,
he's dark, crooked legs,
he works, he walks the earth,
he's from here, from Aztlán."

MACHISMO, CHISMO, CHISMO

¡Ahí viene Juan Chingón!
Pelo negro cola de caballo,
curvas con los ojos,
manos nervudas,
hablar fuerte,
muy macho
él es,
El.

Entre amigos dice que siempre gana,
y los otros con ojos de venado,
pegados a sus palabras,
de cabras, dicen que sí:
lo que tú dices
me pasa a mí,
fuera, aquí;
en casa:
yo
mando.

Entretanto
aplaudo mi proceder.
En este barrio no hay mujer
que con mi porte no castigue,
dos chingazos, ¡zas! ¡zas! ¡caiga!
En público soy muy macho
pa' que me vean los otros
con mi compadre cortés,
con mi patrón correcto
con mi amigo de botella
cervezas disparo,
descaro.
Muero.
Yo.

MACHISMO, CHISMO, CHISMO

There comes Juan Chingón!
Black hair horse's tail,
curves with his eyes,
veined hands,
strong speech,
very macho
he is
He.

Among his friends he says he always wins,
and the others with deer eyes,
clinging to his words,
of goats, say yes:
what you say
goes through me
outside, here;
at home:
I
command.

Meanwhile
I applaud my ways.
In the barrio there is no woman
that I do not punish with my bearing,
two blows, wham! wham! she falls!
In public I am very macho
so that others may see
with my friends, courteous,
with my boss, correct
with my drinking buddy
I shoot down beers
shameless
I die
I.

AQUI ENTRAS CALIFAS

Califas, Ese.
Califas se llama la joven
que quiero y no puedo olvidar.
En seis cuarenta fray Coronado
con mula, indio, cruz y espada,
a Aztlán sin saberlo y como nada
a pedos y sombrerazos cruza el Colorado.

Duermen lilas los cerros apaches.
De madrugada,
al oeste
patas de mula
por el desierto cuentan las horas.
Trucutú, trucutá, trucutú, ta, ta, ta;
pasito de paseadoras.
Con algunas vacas y gallinas
vienen los españoles, indios y mexicanos
inocentes ciegos por el sol del mar
buscando un sueño, El Dorado.
En cada jornada un descanso,
cada suspiro de Dios una misión,
con dedos puros de agua vecina
la bendición;
grano de maíz pa'l manso
pa' los broncos bala de cañón.

Silvestre, California, has crecido,
de la imaginación de un cuento,
hermosa y redonda
te acuestas cerca del mar
y nunca olvidas donde has nacido.
Fábulas de mis indios,
recoges raíces y frutas al azar;
en pueblos que cada mes levantas,
te vas y sigues el verde pinar.

AQUI ENTRAS CALIFAS

Califas, Ese.
She's called Califas
the girl I love
and can't forget.
In six and forty Fray Coronado
with mule, Indian, cross and sword,
to Aztlán, without even knowing,
and like nothing,
farting and slapping his hat,
crosses the Colorado.

Lavender sleep the Apache hills.
At dawn,
in the West
legs of mules
count the hours through the desert.
Trucutú, trucutá, trucutú, ta, ta:
soft steps passing.
With a few cows and chickens
come the Spaniards, Indians and Mexicans
innocents blinded by the sun of the sea
looking for a dream, El Dorado.
At each journey's end, a rest,
each of God's sighs, a mission,
with pure fingers of neighbor water
the benediction;
grain of maize for the gentle
shot of cannon for the wild.

Wooded, California, you have grown,
from the image of a tale,
beautiful and round
you lie near the sea
and never forget
where you were born.
Fables of my Indians,
you gather roots and fruit
by chance;
the towns you raise each month,
you leave to follow
the green pine grove.

"MARCHA"

Rataplán, rataplán, rataplán plin plan,
Rataplán, rataplán, rataplán plin plan.
Vienen pasando las caras de los muertos,
que en otras tierras lejos en años de discordia,
sus almas fueron a dar.
Iban vestidos de verde como niños
que en tiernos años quinces salían acampar.
Pero sobre los hombros cargaban sus fusiles
que en otros tiempos viejos varitas carrizal.

¿Dónde están los ojos que ayer la luz miraban?
Hoy son huecos huesos quebradas las ventanas
y más allá del velo no brilla ya el calor.
¿Dónde queda el pelo de negra cabellera
que bajo el cielo grande era mi tornasol?
¿Dónde están los labios que cantaban rancheras
besaban prietas, güeras y madres bajo el sol?
Cerrados quedan ora bajo de las tinieblas
y miles capas tenues de polvo de tacón.

Esos son los pechos que en bodas y bautizos
lanzan fuertes gritos de ¡AJUAS! y canción.
Esos son los pasos que en Tejas y Delano
iban a Sacramento a hablar Gobernador.
Esos son los cholos, los batos y chicanos
que en gangas y prisiones en día despúes de viernes
jugaban y bebían el alma del maíz.
¿Es que no dijiste que cuando terminaras
no irías a las pizcas, en vez de darle al golpe
querías ser doctor?

"MARCHA"

Rataplán, rataplán, rataplán plin plan,
Rataplán, rataplán, rataplán plin plan.
The faces of the dead are passing,
who to other lands faraway,
in years of discord,
went to give their souls.
They went dressed in green like children
who in tender years fifteen, went camping.
But on their shoulders they carried rifles
as once they carried bamboo wands.

Where are the eyes that yesterday beheld the light?
Today they're hollow bones, their windows shattered
and beyond that veil, the warmth will shine no more.
Where is the hair of that dark head
that under the great sky was my own sunflower?
Where are the lips that once sang rancheras,
kissed dark women, blondes and mothers beneath the sun?
Now they are closed under the shadows
and myriad coatings of the dust of heels.

Those are the breasts that at weddings and baptisms
launch strong cries of ¡AJÚAS! and of song.
Those are the steps that in Texas and Delano
would go to Sacramento to see the Governor.
Those are the cholos, the batos and chicanos
who once in gangs and prisons, on the day after Fridays,
would play and drink the soul of corn.

Didn't you say that when you were done
you would not go to pick the cotton,
that instead of hitting the labor line,
you were going to be a doctor?

DEL NUECES AL BRAVO

En las calles del sur
suenan los gallos de la mañana; dicen *sí*.
Las palmas que han desvelado hermanas
suspiran a la señal del kikirikí.
Diario, al sur de San Antonio.

De noche, la fresca del mar abandona
a la novia en Puerto Isabel;
sublima en leve neblina
todo, todo el plano del valle aquel.
Tierra de esos mezquites;
suenan en la jaula de mis costillas
cascos de los caballos de Cortina;
el Viejo va enojado,
cuando descalzo acarician la arena
mis pies.

En Casuchitas de madera en serie,
todas iguales con rayas en las tablas.
están en un callejón de la calle Tyler.
Ahí en la esquina no falta la iglesia,
muy romana, siempre católica, seria.
Hay una panadería,
donde prietas siempre voluptuosas
van a comprar el pan,
a ver lo que hay que ver,
a decir lo que hay que decir.

Suave murmullo de palabras Chicanas,
en ese español
de Raza, de chiles, de tacos, de tamal.
Suenan bolitas de aire y de masa,
salen de bocas tiernas
como suspiros de muchacha
que no puede salir de casa.
Por ahí, por la panadería viene día a día,
una que conozco, ¡ay qué suave está María!
¡Ay se me atora! no puedo hablar ahora.
¡Ay quién me metió en esto!
Por allá ocho horas diarias es criada,

DEL NUECES AL BRAVO

In the streets of the South
there sing the cocks of morning;
they are saying yes.
The sister palms who have kept the vigil
sigh at the signal of the crowing.
Daily, south of San Antonio.

At night, the fresh sea breeze abandons
its sweetheart in Puerto Isabel;
enfolding in airy mist
all, all of the plain of that valley.
Land of those mesquites;
resounding in the cage of my ribs
the hooves of Cortina's horses;
the Old Man gets angry,
when my shoeless feet
caress the sand.

In rows of little wooden houses,
all alike with stripes on the boards,
they are there, in an alley off Tyler Street.
There on the corner you can't miss the church,
very Roman, always Catholic, serious.
There's a bakery,
where dark, ever-voluptuous women
go to buy the bread,
to see what there is to see,
to say what there is to say.

Soft murmur of Chicano words,
in that Spanish
of Raza, of chile, of taco, of tamal.
There sound little balls of air and of dough,
they come out of tender mouths
like sighs of the girl
who cannot leave the house.
By there, by the bakery, day after day,
one that I know, Ay, how soft María!
Ay, I cannot talk! I can't speak now.
Ay, who got me into this!
Over there, eight hours daily,
she's a maid.

pero todo el día en el barrio
es para mí como pintura de cuadro café.
No sé, no sé, morena y blanda,
calientita, ¡Ay por qué será tan bonita!

Donde trabajo
a la intemperie del campo
se abre el mundo
es ella otra, otra cosa,
como que viene con el sol, el aire;
el olor de las naranjas,
polvo de la tierra cuando
me cae en los dedos y se me pega.

Y cuando pienso, más grande el mundo
se me hace todavía;
por todas partes viene la que siempre me mira,
las puntas de la palma son su cabeza,
la frescura de los naranjos su mirada.
Cada rayo de sol cae derechito
por todas partes pero más en mí
picándome, ¡María! ¡María!
      Estás por todas partes.
Con esto tengo para vivir una vida
            como en cuento.

            Al sur.

Tierra plana hasta el río.
Rueda mi piel de cobre,
moneda de águilas y culebras.
Sin levantarme galopo por las brechas
en yeguas Chicanas que conocen el desierto.
Duermo al sol.
En el sur.

But all day in the barrio
she is for me a brown-framed painting.
I don't know, I don't know, dark and soft,
so warm, Ay, why is she so pretty!

Where I work
in the open air
the world unfolds
she is another, another thing,
like she comes with the sun, the air;
the fragrance of oranges,
dust of the earth when
it falls on my fingers and clings.

And when I think, larger still
the world becomes for me;
everywhere the one who always watches me,
the tips of the palms, her head,
the freshness of the orange grove, her look.
Every sunbeam falls directly
everywhere, but more on me,
stinging me, María! María!
    You are everywhere.
With this I have enough to live a life
    as in a tale.

        To the south.

Flat land to the river.
My copper skin rolls,
coin of eagles and of serpents.
Without getting up, I gallop through the gorges
on Chicana mares who know the desert.
I sleep in the sun.
In the south.

POLKA

Tengo una casa de oro
que el Niño Dios me dio
imágenes de bronce
y puerta de aldabón.
Por dentro Virgen Santa
morena de color.
En doce de diciembre
de blanco visto yo,
es día de la Virgen
más alto brilla el sol.
Por techos de dos aguas
dos cuetes suelto, dos
uno es para Lupita
el otro canta ¡Voy!
¡Ay naranjos de azahar!
¡Ay Lupita de altar!
Eres mi alma
y amor de mi ser.
Un milagro de mi vida
es la fe que tenía yo perdida.

"FLOR"

Flor.
Hoy.
Te veo sólo porque las gotas de la lluvia
se han posado en ti temblorosas.
Así vives más.
Pero no siempre me fijo en ti,
yo también estoy perdiendo la cabeza
como los otros
en esta gran gringoria
intoxicada de gases y alergias.
Quédate ahí y en la redondez de mis ojos
más,
quiero salvarme
en los velos de cristal de tus curvas
y el cielo raso de lo más claro
de mis ojos,
hoy.
Flor, margarita blanca y café;
tiembla otra vez,
ábreme una esferita
aunque sea para mi voz,
lo demás no importa.
Mis ojos en uno y una voz,
tú serás mi corazón.
Hoy.

POLKA

I have a house of gold
the Child God gave it to me
images of bronze
big latch upon the door.
Inside, Holy Virgin
dark of color.
On twelve of December
I dress all in white,
it is the day of the Virgin
more brightly shines the sun.
Through gabled roof
two rockets loosed, two
one is for Lupita
the other sings,
There I go!
Ay, orange groves of blossoms!
Ay, Lupita of the altar!
You are my own soul
and the love of my own being.
A miracle of my life
is the faith I had felt I'd lost.

"FLOR"

Flower.
Today.
I see you only because the drops of rain
have rested upon you, trembling.
In that way you are more alive.
But I don't always notice you,
I too am losing my head
like the others
in this great gringoria
poisoned with gases and allergies.
Stay there and in the roundness of my eyes,
more,
I want to save myself
in the crystal veils of your curves
and in the smooth sky of the clearness
of my eyes,
today.
Flower, daisy white and brown;
tremble once again,
give me a little space
be it only for my voice,
the rest is unimportant.
My eyes on one and in one voice,
you will be my heart.
Today.

QUE PEDO

En mi esfera de jabón
pinta matices el sol;
arroyitos de colores
imprecisos
van y vienen,
suben-bajan
culebras de aire y rayo,
es tornasol
mi díastole,
y ¡Ay Dios! cola de gallo
mi sístole.

Lo que no es extraño no es verdadero.

Mundos mis ojos hoy,
con o sin seconal
otro mundo total,
quepo igualito,
como en hojas de tamal.
Y mira hermano,
pa' esto no necesito
a Juana,
sólo con lo que soy,
ni instrumento,
ni arcilla material,
nomás el seso,
tiempo,
ojos cerrados,
abiertos,
aliento,
¡y listo!

QUE PEDO

In my sphere of soap
the sun paints hues;
rivulets of colors
imprecise
they come and go,
rise-fall
snakes of air and lightbeam,
a sunflower
my diastole,
and, Oh God! a rooster's tail
my systole.

What is not strange is not true.

Worlds my eyes today,
with or without the seconal
another total world,
I fit just the same,
as in the leaves of the tamal.
And look, brother,
for this I don't need
Juana,
with only what I am,
neither instrument
nor material clay,
only my brain,
time,
eyes closed,
open,
breath,
and ready!

MUERTE

La muerte me está guachando, siempre, ¡a!   *
¡Sígueme hija de la Chingada,
hasta Tierra Colorada!
Detrás de las palmeras de Puerto Isabel.
Tas en la espalda de un chota
azul en Bronsvil,
de un chota azul,
cool, bato, cool— ¡Ay azul!   *
Tierra de naranjal, quebrada a pedazos.
Hija de la Chingada, te asiste el Diablo;
con él sí, pero contigo ni hablo.
Esa muerte: me río
de tus huesos en la espalda azul
de los Hell's Angels.   *
¡Ay Muerte! ¡Qué heavy eres!   *
¡Ay mujer! ¡Qué linda eres!

Cuerdas de guitarra mexicana;
cuerdas de acero;
cuerdas de guitarra heavy.
Te gusta mi pelo negro
¿no?
En cada hebra te llevo
un huevo de vida guardado
pa' que sepas que te quiero.
En el filo de mi cuchío
el Diablo se esconde,
y en los lados de la hoja
you shine y sonríes.
Reluces con un film de sangre;
triunfas en sagrada comunión:
vino rojo, fierro blanco,
cuerpo blando . . .
dobla estático
en un momento al órgano.

DEATH

Death is checking me always, ah!
Follow me, hija de la Chingada,
to Tierra Colorada!
Behind the palm groves of Puerto Isabel.
You're on the back of a pig
dressed blue in Brownsville,
of a blue pig,
cool, Bato, cool— ¡Ay azul!
Orange grove earth, broken in pieces.
Hija de la Chingada, the Devil is with you;
with him, yes, but with you I do not speak.
Esa, Death: I laugh
at your bones on the blue back
of the Hell's Angels.
¡Ay Muerte! ¡Qué heavy eres!
¡Ay mujer! ¡Qué linda eres!

Strings of Mexican guitar;
strings of steel;
strings of guitar heavy.
You like my black hair
don't you?
In every fiber I bear for you
a hidden egg of life
so you may know I love you.
In the edge of my knife
the Devil is hidden,
and on the sides of the blade
you shine and smile.
You sparkle with a film of blood;
triumph in sacred communion,
red wine, white steel
soft body . . .
in a moment
the organ tolls, ecstatic.

SUEÑO

En los campos de Celaya
lloran árboles al revés.
Allá nació Apá;
más al norte, en Saltío
Amá de chamaca tejía
sarapes que le picaban la piel.
. . . Lloran con las hojas pa'rriba
unas matas picudas,
no sé por qué
pero entre las hojas
hay gente que muere.
Santos en las iglesias
dejan pasar La Parca;
huelen a cera y cebo.
Velas puestas tiesas y llamas
hacen juego—yo veo.

Ellos están tiesos, muerte de mentiras,
pero somehow sienten que afuera hay árboles   *
y en los árboles hay gente
y quieren llorar pero no pueden;
Amá, Amá, yo los quiero;
Amá, Apá, Güelito, ¿dónde estás?
        los quiero.

                Esa, la quiero.

SUEÑO

In the fields of Celaya
upside down trees are crying.
There Apá was born;
further up north, in Saltillo
as a child Amá would weave
sarapes that itched the skin.
. . . With leaves turned upward are crying
some pointed plants
I don't know why
but among the leaves
there are people dying.
Saints within the churches
let the Parca pass;
they smell of wax and grease.
Candles stiffly placed and flames
are matched—I see.

They are stiff, death that comes of lies,
but somehow they feel there are trees outside
and in the trees are people
and they would cry, but cannot;
Ama, Amá, I love them;
Ama, Apá, Güelito, where are you?
I love them.
Esa, I love her.

LA MUERTE EN TEJAS

Dame chicharras de Bishop
del sur de Tejas
pa' que me den un high   *
en las tripas.
Sóbame arbolitos de espinas
que me hagan chirr en las costías,
y pásame johnson grass   *
al revés
por entre los muslos
que me hagan divinas cosquías
para acercarme a la Muerte.

DESCANSO

Estaba la Muerte un día
sentada en un arenal
con las tijeras de palo
trasquilándose el tamal.

MAS PEDO CARNAL

Allá en mi high chair   *
a diario triunfo cuando quiero,
¡y me muero si me da la gana!
pierdo el hold que en la muerte have;   *
    subo y bajo,
en las curvas de los ojos la tengo;
no la veo, la siento.
Pa' todos lados va,
conmigo, dicen, siempre está.

CABRONA

Estaba la Muerte un día
sentada en un tamburete,
la Muerte que se descuida,
el Diablo que se la mete.

DEATH IN TEXAS

Give me cicadas from Bishop
from the south of Texas
so I can get high
on the guts.
Rub me with little spine trees
that will scrape upon my ribs,
and slip me some Johnson grass
the opposite way
between my thighs
so the divinely tickle me
so I may get close to death.

DESCANSO

There was Death one morning
sitting on a pile of clay
with scissors of wood, shearing,
cutting its dick away.

MAS PEDO CARNAL

There, on my tall chair
daily I triumph when I care to
and I'll die if I feel like it!
I lose the hold I have on death;
    I rise and fall,
In the corners of my eyes I have her;
I don't see her, I feel her.
Everywhere she goes,
with me, they say, with me always.

CABRONA

There was Death one day
sitting upon a stool,
She got careless in her way,
and the Devil screwed her cool.

DELIRIO

Botella clara hecha a mano,
soplada por curvos pulmones
cubiertos de sudor.
Tienes dentro, a la mitad,
algo verde claro;
libertad en cárcel;
ojos de güera *buena,*
y haces olas,
agua verde;
es menta.
Muerte suave.
Agua inconstante
que se pierde y siempre nace;
hace del aire en mis lungs   *
gas de la vida—
yo también vuelvo.
Siempre volvemos.
Ella se queda.

LULLABY   *

Niña segura, hada que ablanda la vida dura.
Dime con el cuerpo, canción por un muerto.
Viento solo, mueve la gasa de tu vestido lento.
Déjame ver, ¡ay y y y! amor, hoy que vivo.
Sube y down, sube y down, sube y down,   *
 ¡oh! my illusions por ti have grown!   *
Tambor suave en mi pecho,
voces detrás de my heart,   *
cuerda fuerte en mi aorta,
todo, todo, everything!   *
la vida así nunca es corta.

DELIRIUM

Bottle clear made by hand
blown by curved lungs
covered with sweat.
You have within, halfway,
something lightish green;
freedom in prison;
eyes of good-looking blonde,
and you make waves,
green water;
it is mint.
Soft Death.
Inconstant water
that is lost and still is born;
she makes of the air in my lungs
gas of life—
I, too, return.
We always return.
She remains.

LULLABY

Surely child, fairy that softens hard life.
Sing me with your body, a song for someone dead.
Lone wind, move the gauze of your slow dress.
Let me see, ay y y y ! my love, for I live today.
Up and down, up and down, up and down,
Oh! My illusions for you have grown!
Soft drumbeat in my breast,
voices behind my heart,
strong chord in my aorta,
all, all, everything!
Life like that is never short.

EN CASA

Mujer, por la mañana.
No quiero decir que vienes
por mí cuando duermo;
no importo-mas en las sienes
de mi hijo como tú, te veo.
Duele tu vista cuando
miras atenta su sueño
él, solo, de lado, descansa.
Cuando te apareces para esto
mujer de blancas canas,
bien sabes lo que haces,
nunca de día, jamás de noche,
obligada siempre, por las mañanas.
Yo impecable en mi amor por él,
inerme, estático, solo, mudo;
sin poder levantar la mano
te miro desesperado.

Angel que adoras.
Manos de amor que la vida toca.
Notas de song que forever canta   *
sin tiempo,
always continuo las horas.   *
Niña que el cuadro teje
hilos de colores y clay   *
con que los chicos en el suelo play;   *
tez de durazno peach   *
de mi más querido crío
en la sombra, al sol
    en la beach   *
no importa suavidad de lento río.

Hilos de mis cuentos
tejiste en su cabecita
y a los dos vida diste
mientras comíamos de lo largo
del tiempo . . .
yo sabía
que en las figuras que tu mano bonita
con cariño hacías
sound, sueño, sondas al revés del cielo.   *
Quedo.
Si triunfo en el suelo
con las curvas de Dios no puedo.

AT HOME

Woman, in the morning.
I don't want to say you're coming
for me while I sleep;
I do not matter—but in the temples
of my child, as you do, I see you.
Your look hurts when
attentively you watch his sleep
he, alone, on his side, is resting.
When you appear for this,
woman white of hair,
you well know what you are about,
never in daytime, never at night,
always compelled, in the morning.
I impeccable in my love for him,
still, static, alone, mute;
unable to raise a hand
I watch you in despair.

Adoring angel.
Hands of love touched by life.
Notes of song that sings forever
without time
always continuing hours.
Child who weaves the picture
threads of colors and clay
with which the children on the floor play;
faces of durazno peach
by me most beloved offspring
in the shade, in the sun
        on the beach
no matter the softness of slow river.

Threads of my stories
you wove into his little head
and to both you gave life
while we ate of the length of time . . .
I knew
that in the figures that your pretty hand
with loving care did make
sound, dream, probings in reverse of heaven.
Quiet.
Though I triumph on earth
against God's curves I cannot prevail.

MURRIETA EN LA LOMA

En ocho treinta y seis
por cuestas y curvas de tierra pelona
gritando ¡mulas!
viene un arriero por la loma;
solo;
hombre,
animales;
suda el corazón;
riatas,
sombrero,
huaraches,
cuero,
es rey del sendero.

Si porque soy pobre y de sombrero,
Mano, no me respetas.
Deja pasar, ¡adiós!
Toma de mi agua,
fuma mi tabaco
y que te vaya bien, Güero.
Entre las sierras y el mar
a Santa Bárbara llevo carga.
Paso despacio.
Pinto figuras con mi soledad
entre lo alto y el mar.
Soy callado, hombre de paz
pero en la cintura me fajo
un cuchillo cebollero;
al hombro una riata de pelo de caballo.
Hace cien años que vivo,
Califas es mi casa
y en México está mi Tata.

En mi católica fe
vivo yo y mi amor;
el Santo Niño me guacha
día y noche;
por el camino real
San Cristóbal de los arrieros
me acompaña
Voy al Norte.

MURRIETA ON THE HILL

In eight and thirty six
through hills and curves of bald earth
crying ¡mulas!
comes a muleteer along the hill
alone
a man
animals
the heart is sweating
lariats
sombrero
huaraches
hide
he is the king of the trail.

If because I'm poor, and wear a sombrero,
Brother, you don't respect me . . .
Make way, ¡adios!
Drink of my water
smoke my tobacco
and, que te vaya bien, Güero.
Between the sierra and the sea
to Santa Barbara I bear my cargo.
I pass slowly.
I paint images with my solitude
between the heights and the sea.

I am quiet, a man of peace
but on my waist I strap
an onion-cutting knife;
on my shoulder, a horehair lariat.
I have lived a hundred years,
Califas is my home
and my Tata lives in México.

In my Catholic faith
live I and my love;
the Holy Child looks over me
daily and at night;
through the Camino Real
San Cristobal of the muleteers
accompanies me
I'm going north.

Veo.

Mataron Cholos y Californios
en las minas de Sonora.
Eran güeros con pistolas
e insolencia en el corazón.

Los hilos del barullo Chicano
tejieron cuentos míos.
Que mataba a muchos,
disque hasta llevaba
sombrero tejano.
Que orejas cortaba
para dejar señal
por donde pasaba,
Mataban a mis hermanos,
yo mochos dejaba,
a los gabas.

MURRIETA, DOS

Vengo de un lado, pa otro voy.
No tengo padres,
como tú, hijo de la Malinche soy.
No vengo de ninguna parte,
a ninguna parte voy; voy.
No soy nadie;
Soy.
No estoy con nadie;
Soy.
No soy nada;
Soy.
Sé quién soy;
Solo,
como el aire de nadie.
En soledad me abrigo,
como en los árboles me escondo
y sólo ellos están conmigo.
De nada vengo.
De nada estoy hecho, por eso soy.
Mis antiguos españoles
no sabían que eran tierra
que con el agua
de la primera chingada, se mezcló.
¿Qué soy?
Dicen que soy Joaquín—
Murrieta me llaman.

I see.
They killed Cholos and Californios
in the Sonora mines.
They were light-haired men with pistols
and insolence of heart.

The threads of Chicano murmur
wove stories about me.
They say I killed me many,
it is said I even wore
a Texas hat . . .
that I would cut ears off
to leave a sign
wherever I went.
They used to kill my brothers,
I left the gabas a bit lopped off.

MURRIETA, DOS

Coming from one place to another I go.
I have no parents,
like you, child of the Malinche am I.
I come from nowhere
to nowhere I go; I go.
I am no one;
I am.
I'm not with anyone;
I am.
I am nothing.
I am.
I know who I am;
Alone,
like no man's air.
In solitude I clothe myself,
as in the trees I hide
and only they are with me.
I come from nothing.
Of nothing I am made, that's why I am.

My ancient Spaniards
did not know that they were earth
that with the water
of the first fucking, was mixed together.
What am I?
They say I am Joaquín—
Murrieta they call me.

Me quisieron quitar quien soy.
yo y los que son no morimos;
sólo las páginas de nuestro
    cambio de piel
    se van.
Yo no maté a nadie, a nada,
    ellos se ensartaron solos;
    siguen sangrando
    cada vez que se acuerdan de mí—
El tiempo es el único que sabe
porque siempre está,
    ahí
    allá
    aquí,
Mis chicanos beben el buen vino
de mi recuerdo,
    y me llevan,
    y gritan,
    y cuando gritan les abro
    todas las puertas de la vida.
Estoy, en el aire y a todas partes
de la creciente Aztlán voy.

DESCANSO

In another time after Eleven-Cane, Quetzalcóatl
went riding through the rounded hills,
breasts of Califas,
from San Diego to Sonoma.
They were stealing water
from the wells of others,
and putting wire fences on the lands.
I said nothing to them; all I did was watch.
If they were my own people
I would do them harm,
*   but they are not.*
They are children and slaves of gold, worse yet;
*   with Winchester carbines*
*   clouds of smoke resound in chorus.*
I was born in nineteen;
in time my body became earth.
Every so many years I'm born again;
in the fruit of the fields
my brothers caress me
cutting grapes,
picking tomatoes,
moving the rocks off the track.
In sweet waters of my Califas
and Valley of the Río Grande
the irrigators let me pass,
to wet the earth.
In hard air of the desert,
with its sun so hot,
I hurl myself.
I will live as long as there are Chicanos.

CAMINO DE PERFECCION

¡Pobre Bruto!
¡Qué vida tuvo!
con cuchara de plástico en la boca
nació en una clínica blanca
Memorial Hospital llamada.
Allí lo parió su madre,
allí la parieron a ella.
Un día, cagado de susto
allí tambien llegó su bisabuelo
a que dejaran caer a su tata.
Todos han nacido allí
porque debe ser muy blanca
la sala de parto
con paredes de acero frío.
En capullos blancos de algodón
sintético
lo arroparon al gabita.   *
En botellas claras de cristal
de plástico—
nunca tocadas por manos humanas
leche artificial mamaba.
En cuna de plástico
revolotean patos y payasos
de celuloide
que hacen ruidos artificiales.
Zapatos de papel algodonado
de plástico
le pusieron en las nalgas rosas
para que los locos microbios
le comieran lo que nadie debe.
En escusados blancos
lavado con agua cristalina
depositaban su cuerpo a diario.
¡pobre bruto!
Nunca mamó chichi de chico.
Nunco tuvo cueva de tierra
donde esconderse.
Se lame los dedos cuando
come.
De chamaco no se atrevía
a ensuciar la ropa, eso no es americano, uy
Mano—

THE WAY OF PERFECTION

¡Pobre Bruto!
What a life he had!
with a plastic spoon in his mouth
he was born in a white clinic
Memorial Hospital so-called.
There his mother gave birth to him,
there's where she was born.
One day, shitting from fright,
his great-grandad arrived there, too,
that his Tata might also fall out.
They have all been born there
because the birth-room must be
all white
with walls of cold steel.
In white cocoons of
synthetic cotton
they wrapped up the gabita.
In clean bottles of
plastic crystal—
never touched by human hands,
artificial milk he suckled.
In a plastic crib
are playing
ducks and clowns of celluloid
making artificial sounds.
Shoes of cottoned paper
of plastic
they put on his rosy buttocks
so the germs could eat up
what no one ought.
In whitened toilets
washed with crystaline water
they would daily put his body.
¡pobre bruto!
He never sucked a breast while young.
Never had a cave of dirt
wherein he could hide.
He licks his fingers
when he eats.
As a kid he did not dare
to dirty up his cloths,
that is un-American,
¡uy, mano!

De chavalo no supo lo que
eran chingazos,
después de la escuela.
De hombrecito se lo llevaron
al army,   *
y en los lavabos
corrían galones de agua
porque le enseñaron
que con mucha agua se purifica
todo.
Pero el pobre se enojaba
cuando su ropita limpia
a tiempo no llegaba.
En Alemania, de ocupación
fue a pasar un año,
y vivió infelíz porque los
Krauts se negaban a ser   *
como él.
En Korea, Okinawa y Vietnam,
se enojó porque tenían ojos
diferentes,
y piel amarilla los Chinks.   *
¡Pobre Bruto!
¡Qué solo la ha pasado!
Hace tiempo que necesita estimulantes
para llegar al nivel de vida
que los otros tienen.
Del servicio pasó a un trabajo
a ganar más que los mayates y   *
Chicanos
por el mismo trabajo.
Se casó rápido
y a ochenta millas por hora,
a luna de miel se fue a
un pueblo de vidrio y plástico
e igualmente veloz volvió al trabajo.
La vieja también se fue a trabajar.
El lecho de amor quedaba solo
siempre—
sólo la comida congelada en la nevera,
el perro francés
y el gato siamés
por todo el piso esperaban y se cagaban.
Un año después,

As a youngster he did not know
what fists were,
after school.

As a young man they took him
to the army,
and in lavabos
there ran gallons of water
because they had taught him
that with plenty of water
all is purified.
But the poor fool would get angry
when his good clean cloths
did not arrive on time.
To Germany, as an occupation soldier,
he went to spend a year,
and he lived unhappy because the
Krauts did not want to be
like him.
In Korea, Okinawa, Vietnam,
he got mad because the Gooks
had different eyes.
¡pobre bruto!
How lonely he has been!
For a while he's needed stimulants
to arrive at the level of life
that others have.
From the service he went to a job
to earn more than the Blacks
and the Chicanos
for the same work.
He got married quickly
and at eighty miles an hour,
to the honeymoon he went
to a town of glass and plastic
and just as quick, he got back to work.
The old lady, too, went out to work.
The bed of love was left alone
always—
only the frozen food in the freezer
the Frenchy dog
the Siamese cat
all over the floor they waited and shat.
One year later

sacaron otro carro
para que la vieja no sufriera— ·
cada mes escribían un periódico
de cheques de pago.
Nació un Brutito chiquito en un laboratorio
que parecía maternidad.
Al día siguiente se fue la vieja
a trabajar
para que no dijeran que no cumplía.
A los meses, por supuesto,
compran un *camper*
completo con cagadero químico.
El picup tenía de todo.
Cada viernes por la tarde
desesperados salían,
dizque a pasear
con los otros millones.
de Blancos como ellos.
A setenta millas al lago artificial
de plástico.
En un dos por tres estaban listos,
a pescar con caña, línea y
mosca de plástico de colores.
Sacaban, ¡ay Dios! peces deveras
criados a güevo en tanques
artificiales de cemento, hule y
plástico.
La música salía de un radio
cuadrado de plástico
y de noche les molestaban
los insectos con canciones
naturales.
Gracias Dios de Plástico,
oficial que en Thanksgiving
dedico en el tablero de mi carro,
con una plegaria inventada
nada menos que por el
Presidente de la Gran Gringoria,
Cristiano:
"I don't care if it rains,   *
I don't give a fuck if it
freezes . . .
as long as I have my plastic white Jesus"

they got another car
so the old lady would not suffer—
every month they wrote
a newspaperful of checks.
A little Bruto was born in a laboratory
that looked like maternity.
The next day the old lady went
to work
so no one would say she was lazy.
In a few months, of course,
they buy a camper
complete with chemical shithouse.
The pickup had everything.
Every Friday in the afternoon
desperately they would tear out,
supposedly to take a ride
with the other millions
of White ones just like them.
Doing seventy, to the artificial lake
of plastic.
Likety-split they were all ready
to fish with pole, line, and fly
of colored plastic.
They caught, ¡Ay, Dios! fish raised
truly in artificial cement tanks
of rubber and of plastic.
The music came out of a square radio
of plastic
and at night the insects bothered them
with natural songs.
Thanks God of Plastic,
official who on Thanksgiving
I dedicate on the dashboard of my car,
with a prayer invented
by none less than the
President of the Great Gringoria,
the Christian:
"I don't care if it rains,
I don't give a fuck if it freezes . . .
as long as I have my plastic white Jesus"

Nathan Carter